# CER BACH CHWAREUS

### Cerddi am Chwaraeon a Chwarae

# gan Anni Llŷn

## a Beirdd Plant Cymru a chyfranwyr eraill

### Darluniau gan John Lund

# Cynnwys

# CYFLWYNIAD

Mae pob un ohonan ni wedi chwarae rhyw dro, boed yn chwarae cuddio neu chwarae pêl-droed neu beth bynnag.

Mae beirdd yn chwarae pob dydd. Chwarae efo geiriau, chwarae efo dychymyg, chwarae efo delweddau.

Ond plant ydi'r gorau am chwarae. Tipyn o fraint felly ydi bod yn Fardd Plant Cymru a chael cyd-chwarae â'r gorau! Dyma gasgliad o gerddi chwareus gan feirdd chwareus i blant chwareus!

*Anni Llŷn*

# CHWARAE

"Dos i newid i dy ddillad chwara'!"

Dyna mae Mam yn weiddi
bob p'nawn pan dwi'n dod adra.

"A phlyga dy ddillad ysgol yn daclus!"

Mae hi'n gweiddi o waelod y grisia
tra dwi'n newid fy nhrowsus.

"I arbad y dillad rhag poetsio!"

Ia, ia ... dwi'n gwbo'.

Dwi, 'dach chi'n gweld,
yn syth ar ôl dod adra,
yn mynd allan i chwara'.

Dringo.
Cuddio.
Cicio.
Taflu.
Dal.
Taro.

Beth bynnag ydi'r tywydd,
dwi'n siŵr o fynd,
fy hun, neu efo ffrind.

Ac mae'n wir –
dwi'n dod i'r tŷ a fy nillad yn drybola,
a Mam yn gweiddi:

"Be fues di'n neud y cena'!"

Ond bora fory, pan ddo'i lawr yn fy nillad ysgol,
fe wêl mam nad ydyn nhw'n "daclus" yn hollol.
Gan fy mod i, bob amsar cinio,
yn mynd allan i chwarae heb falio
dim am gael mwd ar fy nhrowsus,
nac am gadw fy nillad ysgol yn "daclus"!

*Anni Llŷn*

# GWYLIO GÊM RYGBI

Dwi ar y llawr,
wedi gadael y soffa ar fy ôl.
Dwi'n nesu at y teledu bob tacl,
does dim all fy nal i'n ôl.

Dwi'n syllu nes bod fy llygaid yn llosgi
heb golli'r un blewyn o'r bêl.
Mae'r pasio, y sgorio a'r neidio
yn troi fy mhoer yn fêl.

Curiad fy nghalon yw'r gic,
a'r bêl yn hedfan rhwng y pyst.
Mae arogl y mwd yn fy ffroenau
a *Hen Wlad fy Nhadau* ym mhob clust.

Mae sŵn y dorf yn drybowndian,
yn llenwi fy nhu mewn i gyd.
Ar lawr y lolfa, dwi'n taeru
mai dyma'r teimlad gora'n y byd.

Ac ar sgrech y chwiban olaf,
dwi'n gwybod y bydd
pob gronyn ohonof yn addo
y bydda' i yno ... rhyw ddydd.

*Anni Llŷn*

# Tŷ Coedan Nel

Mae gan Nel dŷ arbennig yn uchel fyny fry,
wedi'i wneud o bren a hoelion a rhaff drwchus gry'.

Mae'r to wedi'i wneud o ddail, ond mae'n do ar y naw,
mae'n llawn o dyllau, wir i chi – da i ddim yn y glaw.

Mae'n rhaid i chi fedru dringo er mwyn cyrraedd y tŷ bach
twt,
a pheidied neb â meddwl nad yw hwn yn ddim ond cwt.

Mae'r tŷ yn llong môr-leidr yn hwylio'r moroedd mawr,
Yn gartref tylwyth teg neu hyd 'noed yn ogof cawr.

Yma, mae Nel yn frenhines neu'n ffarmwr yn gwylio'r tir,
Gall Nel fod yn unrhyw un mae hi isho a dweud y gwir.

Dyma dŷ dychymyg yn swatio rhwng boncyffion,
Yn deyrnas chwarae, yn antur fawr – yn ddim ond pren a
hoelion.

*Anni Llŷn*

# BE WELA I?

Dwi'n y car,
fy nhrwyn wedi ei wasgu
i weld y byd yn mynd heibio.
Heibio.
Heibio.

Fy nhro i ydio!

"Mi wela i efo'n llygaid bach i ...
... rhywbeth yn dechrau efo ... A!"

Awyr?
Aderyn?
Arwydd yn mynd heibio'n sydyn?

Arth?
Arian?
Anwyd Anti Marian?

Adeilad?
Angor?
Aaa! ... Afon Dwyfor?

Amlen?
Allwedd?
Afal ar y sedd?

Anghenfil?
Anifail?
Asyn heb ei ail?

Angel?
Anrheg?
Tydi hyn ddim yn deg!

Daliwch ati, daliwch ati ...
'dan ni bron iawn yna.

Dyma ni ...

A am adra.


*Anni Llŷn*

# CHWARAE EFO
# FY CHWAER FAWR

Mae fy chwaer fawr yn dalach,
yn gryfach,
a chyflymach na fi.
Mae'n gas gen i chwarae efo hi.

Os dwi'n trio fy ngorau glas
i'w churo mewn ras,
mae hi'n loncian heibio
a gwenu i fy ngwylltio.

Os dwi'n cicio'r bêl-droed
yn galetach nac erioed,
mae fy chwaer yn chwerthin
wrth i'r bêl fynd heibio'r postyn.

Os dwi'n trio ei ffeindio
wrth chwarae cuddio,
mae hi wedi darganfod
y guddfan orau'n bod.

Os dwi am y cyntaf
i gael y sgôr uchaf,
mae hi'n llwyddo i'w guro
heb hyd yn oed sbïo.

Ond os oes na fwy
na dim ond ni'n dwy,
a bod yn rhaid, cyn chwarae,
i bawb ddewis timau,
mi fydd fy chwaer fawr
yn rhoi ei throed lawr,
a mynnu fy mod i
bob tro ar ei thîm hi.


*Anni Llŷn*

# Mae'r bora yn chwarae

Mae arogl tôst yn chwarae cuddio'n fy ffroenau,
a'r blas yn chwarae tic rhwng fy mochau.
Mae sŵn radio'n chwarae cosi yn fy nghlustiau,
ac oerfel y bora'n chwarae dal am fy 'sgwyddau.

Ac wrth weld y dail yn y gwynt a'r glaw,
rwy'n gweld fod popeth yn chwarae'n y pen draw.

*Anni Llŷn*

# Bwgan a Bagl

Dyma i chi gleddyf
un o filwyr dewr Glyndŵr,
a chwifwyd yn hyderus
wrth warchod llawer tŵr.

Weithiau mae'n troi'n reiffl
ac weithiau'n fwgan brain,
dro arall cryman miniog
i dorri ffordd drwy ddrain.

Weithiau mae'n giw snwcer,
ac weithiau'n rhwyf canŵ,
neu faglau rhyw fôr-leidr
o wlad y cangarŵ.

Ond heno ni fydd gennyf
na bat na phostyn gôl;
mae Taid wedi galw heibio –
mae o eisiau ei ffon yn ôl!


*Meirion MacIntyre Huws*

# GARETH BÊL

Mae Cymru 'di gorfod disgwyl llwyth
o amser ers mil naw pum deg wyth
ac i gael ein tîm i Gwpan y Byd
mae gennym ni bellach gynllun hud.

Arf gyfrinachol yw'r ateb bob tro
a Gareth Bêl yw ei enw o
(nid sôn ydw i am y blaenwr chwim
sy'n sgorio dros Gymru'n amlach na dim;
dwi'n sôn am 'bêl' sy'n **fwy** di-ffael –
rhag ofn nad yw 'Bale' y blaenwr ar gael.)

Gall hon grymanu ar ben ei hun,
a gwyro drwy'r awyr heb gymorth dyn,
a wneud i'r cîpar edrych fel llo
wrth fynd fel gwennol trwy'i fenyg o.

Neu os 'dan ni'n saethu o ganol y cae,
mi fedrwn ni ddewis opsiwn rhif 2:
bydd panel pentagon yn llithro nôl
a roced yn tanio tuag at eu gôl
(ond wnaiff o 'mond llosgi am eiliad fach,
rhag rhwygo'r rhwyd ac achosi strach)

Ac os daw'r bêl i'n cyfeiriad ni,
bydd magned ym menyg Wayne Hennessey
i ddenu'r bêl yn saff i'w law
a churo wnawn, be bynnag ddaw!
Awn i ffeinal Cwpan y Byd!
Gyda Gareth Bêl gallwn ennill o hyd!

(*Ifor ap Glyn hefo Ysgol Bodhyfryd, Wrecsam,*
*ac Ysgol Bryn Tabor, Coedpoeth; 29.6.10*)

# Mae Rygbi'n Cyfri

Gwell genny' rygbi'r dosbarth
na rygbi'r awyr iach,
a ninnau'n dysgu enwau
y rhifau mawr a bach.

"Rhif un-deg-pump yw'r cefnwr,
yr asgwrn cefn yw e;
rhif un-deg-pedwar wedyn
bob tro'n asgellwr de.

"Mae un-deg-tri'n ganolwr,
fel yntau un-deg-dau;
rhif un-deg-un yn chwarae
ar asgell chwith y cae.

"Rhif deg o hyd yw'r maswr,
rhif naw yw'r mewnwr chwim;
rhif wyth, wrth gwrs, yw'r wythwr
sy'n hoelen wyth pob dim.

"Rhif saith sy'n flaenasgellwr,
fel mae rhif chwech bob tro,
a rhifau pump a phedwar
yw'r ddau ail-reng (neu glo).

"Rhif tri yw un o'r propiau
(y prop pen-tyn sy'n gudd);
rhif dau yw crys y bachwr,
rhif un yw'r prop pen-rhydd."

Mae'r rhifau ac mae'r enwau
yn sbort mewn gwers brynhawn:
mae dysgu'r rhain yn saffach
na chwarae'r gêm go iawn!


*Ceri Wyn Jones*

# TÎM TÔC!

*(gan yr anhygoel Cameron Jenkins)*

Reit now 'te bois ma' fe'n pwysig iawn iawn
'Bon ni'n palu yn ddwfwn 'ma heddi,
'Cos obfiysli ac ar ddiwedd y dydd
Ma' ennill yn lot gwell na colli.

Ac os ni moyn middi'r tim arall ch'mod,
A mynd nôl 'sha thre da'r Big W
Y ffordd gore o gwneud fe yw gwneud siŵr 'bon ni
Yn sgori mwy ceisie na nhw.

Ac obfiysli gyda'r injyris hyn
Bydd e'n galed i'r bois, caled iawn,
Ma hamstring man hyn, a crŵsiet man draw'n
Meddwl 'bon ni fel diddeg man down!

A ma dou o'r rhai iach ar eu holides,
So ar ddiwedd y dydd, obfiysli,
Ma'n dishgwl yn debyg, os yw syms fi yn iawn,
Bod y tîm yn consisto o ...fi.

So cym on nawr te, Cameron, a tynna'r stops mas
'Cos ar ti mae y wlad yn dibynnu,
So tynna dy crys ar, 'cos mae'n pwysig i ti,
Yn pwysig i'r bois...ac i Cymru!

UN , DAU TRI...SQUEEEZE!
(Sy'n rili anodd i neud os o's dim ond un o chi, bai
ddy wê...)

*Caryl Parry Jones*

# FFRINDIAU

Cyfra i gant,
mi a' inna i guddio.

Tafla di'r ffrisbi,
mi dria i ei ddal o.

Bydd di yn lleidr,
mi reda' i ar d'ôl.

Saetha di'r bêl
a mi safa' i'n y gôl.

Meimia dy stori,
mi dria' i ddyfalu.

Mi wna' i gastell tywod,
a gei ditha ei chwalu.

Os wyt ti'n anghenfil,
ga i fod yn lygoden?

Os guddia i'r trysor,
nei di fod yn bioden?

Mi hedwn ar garped
i'r Aifft neu i India!

Mae popeth yn bosib
â ninnau yn ffrindia.


*Gwyneth Glyn*

# Beth am ...

*Beth am ...*

chwarae cuddio? Chwarae chwilio?
Chwarae gyrru car i'r dre?
Chwarae llygod? Chwarae lladron
heb ddweud gair - dim bw na be?

*Neu beth am ...*

chwarae llewod? Chwarae teigrod?
Chwarae syrcas? Chwarae sw?
Chwarae sgipio? Chwarae dawnsio?
Chwarae tag a gweiddi BW!?

*Neu falle ...*

chwarae cewri? Chwarae caffi?
Chwarae dewin? Chwarae gwrach?
Chwarae "pawb i ddarllen llyfr
ar ei ben ei hunan bach"?

*Neu beth am hon ...*

mae hon yn gêm ffantastig:
"canu cân heb symud ceg?" ...

Wel, waeth beth fydd gêm y diwrnod,
y chwarae gorau fydd chwarae teg.

*Mererid Hopwood*

# CHWARAE A CHANU

'Begw, wyddost ti beth yw
Angel?' meddai Mrs. Puw.

Ac meddai Begw: 'Dyn gwallt melyn
Efo wings yn chwarae telyn.'

'Chwarae telyn? Twt, twt, twt!'
Meddai Mrs Puw wedi sorri'n bwt;

'Cei chwarae rygbi a phêl-droed,
Chwarae cuddio yn y coed,

Chwarae cardiau, chwarae ceir,
Cynffon y mul, a mwgwd yr ieir,

Chwarae miwsig ar si-di,
Chwarae draffts a Monopoli,

Chwarae concars, chwarae mig,
Chwarae'r ffŵl, a'r ffon ddwy big,

Wedyn mae chwarae lan, a bant,
Chwarae tric, a chwarae plant,

Ond ~~CANU~~'r delyn y byddwn ni,
Begw, nid ei chwarae hi,

'A'r un fath wedyn, Mrs Puw,
Efo pob offeryn?' 'Wel ie, siŵr Dduw!'

'Os hynny,' meddai Begw'n hy,
'Rwy'n giamstar ar bob offeryn sy'!'

A dyna hi'n canu i bawb ei chl'wad
Ar alaw 'Dacw Mam yn Dŵad':

'Telyn, corn a phiano, acordion a thrombôn,
Dijeridŵ a banjo a chrwth a sacsoffôn,
Pibau-cwd ac obo, dylsimer a ffliwt,
Clarinét a phipgorn, harmonica a liwt...'

A 'BEGW!' gweiddodd Mrs. P.,
'MAE HI WEDI CANU ARNAT TI!'

*Twm Morys*

# Y Pwll

*(byddaf yn nofio bron bob bore*
*am wyth o'r gloch)*

Yng nglas y dydd, af i'r sgwâr
sy'n lasach; ymgolli yn y lli

llon sy'n tonni amdanaf.
Suddo i'w freichiau saff;

arnofio uwch y dŵr, ac ar dro
fi yw'r morlo, dim ond wyneb

i'w weld, cyn troi'n dolffin
trwynbwl gan ddawnsio fry'n

yr awyr. Toc, ac yn y Môr
Du – wyf lwynog y cefnfor.

Byd llawn hud o hyd i mi
yw'r pwll hwn sy'n creu asbri

a phan yw rhai yn dal mewn gwely,
gorwedd ar wely glas a wnaf

heb fod ar dir ond yn y dŵr
y daethom ohono'n fabanod bychain.

Fi weithiau yw'r Olympiad penigamp
a'm camp yw ennill medal aur

yn hawdd. Cyn colli anadl gyda strôc
glöyn byw, broga neu nofio ci!

Tic toc arall. 'A'r cloc yn taro naw'.
Dringo'r grisiau dur yn wlyb diferol.

Mor oer yw'r concrid wedi croeso'r pwll.

Ond wedi dowcio i'r dŵr o'r dwfn i'r bas—

Bydd, fe fydd fy llygaid, am ryw hyd,
                              yn tonni'n las.


*Menna Elfyn*

# AR LAN
# YR AFON

Tra bod rhai yn hoff o chwarae rygbi,
neu golff neu denis, pêl droed neu hoci,

roedd yn well gen innau ddilyn afon
efo rycsac a phicnic, roedd hynny'n ddigon,

gwialen bysgota, ac ambell fwydyn,
ac aros i'r pysgod gydio'n y bachyn.

Treulio trwy'r dydd yn gwylio'r tonnau,
a'r diwrnod cyfan yn mynd fel eiliadau.

Mae gen i hiraeth am yr afon heno,
ac wrth edrych nôl, be dwi wir yn ei gofio...

nid nifer y pysgod a ges i o'r lli,
ond cael amser i siarad, dim ond dad a fi.

*Tudur Dylan Jones*

# LEN YW NGHYFAILL GORE

Len yw nghyfaill gore,
Ry'n ni'n ffrindiau ers cyn co
– Ein dau yn anturiaethwyr,
Y dewra' yn ein bro.

Weithiau awn ni lawr i'r traeth
I nofio, a dringo'r creigie;
Dro arall, draw i'r goedwig ddu
I frwydro'n erbyn dreigie.

Merched Beca, cowbois gwyllt,
Môr-leidr fel Barti Ddu:
Mae'r rhain i gyd yn fyw ac iach
Yn ein dychymyg ni.

Mae Mam yn holi weithie
A geith hi gwrdd â Len ...
Ond mae hynny braidd yn amhosib
pan mae'n byw tu mewn i 'mhen!!!

*Dewi Pws*

# AR ÔL METHU UNWAITH

Mae pawb yn methu weithiau – hyd yn oed
Y campus gampwr gorau fu erioed ...

Y taclwr â'i ysgwyddau a'i ddwy glun
Fel drws garej – eto'n methu'i ddyn.

Y seren, wedi driblo drwy lond jar
O bicyls, o flaen gôl sy'n cicio dros y bar.

Ond does dim lle i bwdu, bys yn geg,
Na haslo'r reff fod hynny yn annheg.

Mae pawb yn methu weithiau. Ymlaen â'r gêm.
Ail-lwytho'r tân a dwywaith mwy o stêm.

Ar ôl cam gwag, y gamp i bawb sy'n methu
Yw penderfynu dal y pen i fyny.

*Myrddin ap Dafydd*

# CROESI'R LLINELL

Croesi'r llinell wen,
yw cri mabolgampwyr,
sy'n dyst i ddyfal barhad
daear ac awyr.

Dyma'r llinell aur
ar droed yn drylwyr,
rhedegfa wâr a dynol
yw nerth athletwyr.

Ana'l? Sut mae'i chynnal
wrth gyrraedd y nod?
Cael a chael yw ymarfer
ar drywydd clod.

Oes neges a oroesa?
Egni'r rhedwyr sionc,
a'u mantra wrth ragori,
dihareb y 'dyfal donc.'

*Menna Elfyn*

# Parc Antur Gorau'r Byd

Dere draw i'r parc antur,
Yr un gorau yn y byd;
Achos yno bydd 'na reids
Sy'n well na'r lleill i gyd.

Byddi'n siŵr o gael pendro
Wrth saethu'n seren wib,
A threiglo wyneb i waered
Â'r gwynt trwy'r gwallt yn grib.

A nesa', os wyt ti'n ddewr,
Mentra mewn i'r trên sgrech.
Ond gochela rhag cael braw
Sy'n peri iti daro rhech!

Wedyn bydd 'na fferins
A thaffish rif y gwlith,
Wir, mae antur yn dy ddisgwyl,
Cer a rhed di yno'n syth.

A ble mae'r parc anhygoel
Sy'n d'aros ymhen y daith?
Mae i'w ganfod ar dy dafod:
Y parc antur yw dy iaith.

*Aneirin Karadog*

# Styc
# i'r styds

*Roeddwn i'n aelod un tro o Glwb Trawscoed, tîm pêl-droed chwedlonol a chwaraeai ar faes Cae Siop yn Abermagwr, ac roeddwn i'n un gwael iawn, iawn am lanhau fy esgidiau pêl-droed o wythnos i wythnos ac, yn wir, o dymor i dymor – ond roeddwn i'n hoffi meddwl nad diogi oedd yr unig reswm am hynny, a bod cadw'r esgidiau'n fudur rywsut wedi cryfhau'r cyswllt rhyngddyn nhw a'r tir ...*

Cyn dod o afon Ystwyth mas
I'r môr i'r de o Aber fras
Mae'n llifo heibio erw las
    I lawr o'r ffridd,
Lle mae 'na batsyn bach o ga'
    Sy'n brin o bridd.

Mae'r tyrff fu gynt o flaen y gôl
A'r lein lle gwaeddodd Pete *hand-ball!*
A'r clai sy'n dda i bygyr ôl
    Ond tyfu spyds,
Ie'r rhain i gyd, a gwair y ddôl,
    Yn styc i'r styds.

Rhwng nawr a thymor nesa' bydd
Rhyw gyfle gwell yn dod bob dydd
I sgrwbio'r clytiau clai yn rhydd
    O'r bŵts yn lân,
A gwylio'r holl drychfilod cudd
    Yn clogio'r dra'n,

Ond gwell gen i gaethiwo'r pâr
O 'sgidiau'n saff ym mŵt y câr
Nes clywed eto yn yr a'r
    Un chwiban laes,
A dychwel ambell ddarn bach sbâr
    O'r mwd i'r maes.

*Eurig Salisbury*

# Yr hogyn
# Hel peli

Yn gynnar pnawn Sadwrn:
sŵn ceir yn y pellter,
bipian bws y tîm oddi cartref
yn bagio parcio cyn y gêm
Dyna pryd dwi'n cyrraedd y cae...

Mae gen i waith i'w wneud...

Mae seti coch a gwyn y stadiwm
fel baner Cymru hefo gwyrdd y cae,
ac oglau'r glaswellt newydd ei dorri
yn chwythu i'r stafelloedd newid,

'Mhen awr, bydd ein cefnogwyr
wedi tywallt i'w lleoedd
a lliwiau'r seti wedi boddi
mewn crysau a sgarffiau unffurf.

Bydd ein harwyr ar y cae
a minnau wrth fy ngwaith ar y lein
yn gwylio'r gêm yn ei anterth:

y rheolwr yn rhegi'r gic rydd;
eu streicar nhw yn gosod y bêl,
y dorf yn anadlu mewn hefo'i gilydd...

ac yn ochneidio'u rhyddhâd
wrth i'r bêl slapio'n galed i 'nwylo di-fenyg,
wrth imi sefyll wrth ochr ein gôl.

a minnau wrth fy modd,
wrth bowlio'r bêl
yn ôl i'n cipar ni,

sy'n wincio
cyn ei hyrddio
yn ôl i fyny'r cae!


*(Ifor ap Glyn hefo blwyddyn 5 Ysgol Hooson,
Rhosllanerchrugog ac Ysgol Cynddelw,
Glynceiriog; 28.6.10)*

# DRING! DRING!
## DRING! DRING!

Rwy'n codi'r ffôn a dweud,
**"Ianto bach sy'n siarad."**

*"Sut wyt ti grwt? –*
*Bydda'n fachgen da –*
*Cer i nôl dy fam di, cariad."*

**"Mae'n brysur, sori,"** medde fi.
**"Mae'r tŷ mewn dipyn o stâd ..."**

*"Wel paid â phoeni, 'does dim ots –*
*Wna'i siarad gyda dy dad."*

**"Mae yntau'r brysur hefyd ...**
**Yn ogystal â Nain a Taid!"**

*"O! PAWB yn fishi felly!*
*– Mae 'na broblem fawr mae'n rhaid"*

**"Na, mond fi sy'n chware mig**
**O dan fy ngwely plu ...**
**A dyna pam maen nhw'n brysur:**
**– Maen nhw'n chwilio amdana i!!!!!"**

*Dewi Pws*

# Dewis Tîmau

Ffown o'r carchar i chwarae!
Amser cic-off.
Mas i'r cae.
Cyd-ruthrwn.
Rhedwn yn rhydd
i sefyll mewn rhes ufudd
nes daw dau
(Ows a Dewi),
dau sy'n flwyddyn hŷn na ni;
dau dduw sy'n dod i ddewis tîmau,
fel dau'n taflu dîs.

A'r rhain sy'n pigo'n eu tro
rai da
(fel Fflur a Deio),
a Kev y Bwli hefyd,
a'u ffrindiau gorau i gyd –
a hyd yn oed Nia Wyn
a Grug (sydd fel morgrugyn)!

Erbyn hyn rwyf ar binnau:
yn y rhes stond
dim ond dau sydd dros ben
heb eu henwi –
does neb wedi'n dewis ni,
sef fi
a'm ffrind i, Dion!

Eiliad hir yw'r eiliad hon,
a'r dewis (dewis rhwng dau)
yw dewis ola'r duwiau.

Rwy'n oer, ac rwy'n ofni'r nos,
oherwydd 'mod i'n aros
i glywed ai fi wedyn
yw'r gwaethaf,
yr olaf un ohonom.

Rhag im siomi fy hun,
fe weddiaf i'n ddistaw
ddistaw'r weddi hon –
"O, plîs, paid dewis Dion..."

*Ceri Wyn Jones*

# ENNILL

Mae Ffion ar ei laptop
Yn chwarae saethu nawr,
A Gareth ar ei iPad
Yn canu ers rhyw awr.

Mae Lois yn teipio neges
At Anwen ar ei ffôn,
A Gwyn yn chwarae ar ei feic
Mawr glas i lawr y lôn.

Does neb, dim un o'r giwed,
Am chwarae efo fi
Ers imi'u curo nhw bob un
Mewn gêm Monopoly.


*Eurig Salisbury*

# Yr Orsedd F.C.
# 2011

Y peth rhyfedda welais yn fy myw
oedd beirdd yr Orsedd yn chwarae Man U!
Roedd y Steddfod yn Wrecsam ac ar y Cae Ras
daeth derwyddon i herio'u gelynion cas.

Roedd y cae yn galed fel haearn Sbaen,
ond o'r gic gynta aeth prifardd ymlaen
a rhwygo'r amddiffyn, gan fynd fel y gwynt
(roedd yn ffefryn y ffans, yn hogyn o'r Fflint!)

a phan wnaeth o sgorio, aeth pob un o'i go,
roedd y sgrechian a'r gweiddi yn codi'r to
a phawb yn gwneud englyn i ddathlu'i gamp
(a Man U yn cwyno fod gan Rooney "cramp")

Drwy'r p'nawn roedd y beirdd fel milgwn chwim,
yn chwalu Man U, nes oedd hi'n 10-0.
A dyna'r peth gorau welais yn fy myw
sef beirdd yr Orsedd yn curo Man U!

*(Ifor ap Glyn hefo blwyddyn 5
Ysgol Plas Coch, Wrecsam; 28.6.10)*

# Ddim yn Gareth Bale

Peth poenus ydi penio.
Mor galed ydi'r bêl!
Mor feddal ydi 'mhen bach i;
dwi ddim yn Gareth Bale.

A ciami ydi'r cicio.
Er smalio 'mod i'n rêl
chwaraewr mawr byd-enwog,
dwi ddim yn Gareth Bale.

Cic gosb! A dwi'n anelu,
rhoi cic... a methu'r bêl!
Dwi'n esgus mai 'marfer o'n i.
Dwi ddim yn Gareth Bale.

Dwi'n arbed gôl wefreiddiol.
Chwibiana'r Reff: "Hand-bôl"
Dwi'n cofio mwya sydyn
mai nid fi sydd yn y gôl!

Ond er 'mod i'n anobeithiol,
Mae 'myd 'run siâp â'r bêl.
Ac wedi'r cwbwl fedar pawb
ddim bod yn Gareth Bale!

*Gwyneth Glyn*

# Price Drws Nesaf

Nid yw e'n hyll, na chwaith yn hardd,
y dyn sy'n byw drws nesaf;
mae'i enw'n od, sef 'Price y Bardd',
ond dyma'r peth rhyfeddaf:

nid yw e fyth yn mynd i'r gwaith
na mynd i'r dre na'r ddinas,
na gwneud dim byd drwy'r oriau maith ...
ond dyw e ddim yn ddiflas!?!

Ac es i ato un prynhawn,
a mentro ..."plis, ga'i wybod,
pam y'ch chi 'i weld yn hapus iawn
yng nghanol y fath ddiflastod?"

"Diflas? Fi?" Daeth golwg syn
ar wyneb Price Drws Nesaf,
rwyf wrth fy modd yn byw fel hyn!
Myfi yw'r dyn hapusaf!"

Syllodd arna' i'n hir cyn dweud
mewn llais bach, dwfn, crynedig:
"Ti'n gweld, rwy'n brysur iawn yn gwneud
gwaith meddwl. ... Bendigedig!

"Mae'r 'meddwl' hwn yn gêm fach dda,
mae'n deffro pob dychymyg,
mae'n galw heulwen mawr yr ha'
i ganol stormydd ffyrnig.

"Ac wedi meddwl ddydd a nos,
rwy'n estyn un dudalen
i sgwennu gair mewn llinell dlos -
ac yna – rwy' 'di gorffen!"

A nawr rwy'n galw gyda'r bardd
bob dydd, 'ni'n ffrindiau gorau,
yn treulio oriau yn yr ardd
yn chwarae gyda geiriau.

*Mererid Hopwood*

# GÔL-GEIDWAD

Rhu o'r stadiwm
yn fy nharo yn y twnel;
cerdded allan
gan guddio'r teimlad pili pala yn y bol;
mynd fel gladiator
o flaen torf fygythiol eu ffans nhw
a dim ond menyg yn darian
rhag ergydion cas eu streicars cryf.

Gyda'r dorf yn llafarganu
yn don ar ôl ton ar draws ei gilydd
dwi'n gwneud siâp lemon â 'nwylo
er mwyn chwyddo'r llais
a gyrru gorchmynion chwerw
i drefnu'r amddiffyn blêr.

Fy ngobaith ymhob gêm
yw neidio fel cath,
pawennu'r bêl o'r gongl uchaf
cyn glanio'n swp ar y glaswellt
ac yna codi eto, yn araf,
a'r bêl fel babi
yn dynn yn fy mreichiau.

Fy ngobaith ymhob gêm
yw darllen enwau fy nhîm
ar gefn eu crysau,
nid darllen ofn ar eu hwynebau
wrth iddynt sgrialu'n ôl tuag ataf.

Fy ngobaith ymhob gêm
yw gweld yr enwau hynny'n lleihau
i gyfeiriad pen arall y cae,
a chael fy hun yn sêt waetha'r theatr hon
pan fo'r sioe yn cyrraedd ei hanterth,
a'u cîpar nhw
yn codi ei gywilydd o gefn y rhwyd,
a'n tîm ni yn troi,
gan ddyrnu'r awyr
i ddathlu'r gôl fuddugol.

*(Ifor ap Glyn hefo Ysgol Bodhyfryd, Wrecsam,
ac Ysgol Bryn Tabor, Coedpoeth; 29.6.10)*

# ANTUR

Dwi wedi sgïo lawr mynydd uchel,
ac wedi nofio ar draws y Môr Tawel.

Dwi wedi gleidio o ochrau'r Wyddfa,
a rhedeg marathon drwy'r Sahara.

Mi fum fel aderyn yn lledu adenydd
mewn naid o awyren uwch Seland Newydd.

Mi wnes i naid bynji o bont yn Awstralia,
a marchogaeth ceffylau ar draws yr India.

Mewn anialwch neu awyr, ar fôr ac ar fynydd,
be ydy'r gwahaniaeth rhwng dychymyg a chelwydd?

*Tudur Dylan Jones*

# OES RHYWUN WEDI DIGWYDD GWELD FY MAG NOFIO?

Bore Mawrth. Mae'n ddiwrnod newydd.
Mae cloch yn canu yng nghefn f'ymennydd ...
"Mam, lle mae fy jympyr ysgol?' –
A dyma lond pen ei bod hi'n arferol
I blentyn f'oed i, fod y call, bob un,
Yn edrych ar ôl ei bethau ei hun.

Hanner y ffordd drwy'r drws ar ras
Am y bỳs, a sylwaf ar awyr las
Fel pwll nofio! A dyma gofio:
Gwers yn y pwll cyn amser cinio!
"Oes rhywun wedi digwydd gweld fy mag nofio?"

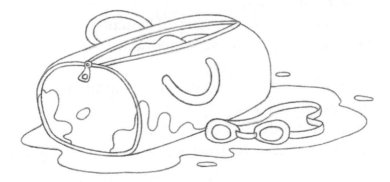

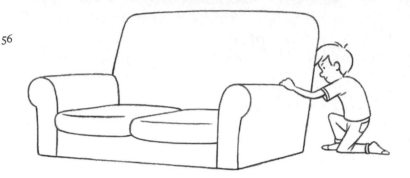

A dyma Dad yn dechrau arni
"Ai fel hyn oedd hi 'nghartref Halfpenny?
Doedd *o* ddim yn hogyn munud olaf –
Paratoi y noson cynt sydd hawsaf!"

Bag! Lle mae'r bag? A dyma geisio
Troi y cloc a chanolbwyntio.
Ond mae wythnos yn hir yn fy mywyd i ...
Tu ôl y soffa, dan wely'r ci,
Garej, cwt garddio, cwpwrdd yr hŵfar,
I mewn i'r lle cotiau ar fy mhedwar ...

A dyna lle mae!
Ei agor ... a ... Gwae!
Mae fel rhoi fy llaw ar ysgwydd llyffant
A'r drewdod tu hwnt i sbre dîodrant.

"Maen nhw'n dal yn socian ers dros wythnos!"
Mae dwrdio pellach yn fy aros:
"Wyt ti'n meddwl fod Gareth Bale
Yn rasio rownd tŷ fel Irish Mail?

Roedd Gareth, rwy'n siŵr, yn golchi'i sanau,
Glanhau y mwd oddi ar ei esgidiau ..."

Sut mae sychu'r dillad yn sydyn?
Y popty ping? Ond cofio wedyn
Am y tro hwnnw (ofnadwy o ddigri)
A lastig fy nhrowsus nofio'n toddi.

Rwy'n newid fy nhywel am dywel fy mrawd
A mynd am y drws a chodi fy mawd.
(Sychith y trowsus heb lawer o ffỳs
Drwy'i chwifio allan drwy ffenest y bỳs.)

Wrth adael rwy'n clywed gwaedd Dad: "HEI!
Oes rhywun wedi digwydd gweld fy nhei?"

*Myrddin ap Dafydd*

Y mae hi'n hanner amser yn ffeinal cwpan y byd,
ac mae Cymru ar y blaen o bwynt, dyna i gyd.

Bu'n hanner brwnt a ffyrnig â dynion yn y llaca,
ond llwyddodd Calon Lân i ateb her yr Haka.

Nawr awn i'r stafell newid i weld sut mae ein bois
yn paratoi i ennill y gêm, wel am gyffrous!

A dyna fe y capten, pwy arall ond Big Sam,
mae e a Jamie ar y ffôn i geisio cyngor gan Mam.

Mae Leigh yn sugno oren a Biggar fyn'na mewn trans
ac Alun Wyn yn becso am fynd mas a siomi'r ffans.

Rhys Webb sydd ar y nenfwd wyneb i waered yn syrffio'r we
a George North sy'n bwyta bustych, digon i fwydo'r gogledd
a'r de!

Ond pwy yw hwn sy'n sleifio drwy'r drws? Neb llai na
Nigel!
"Mae Duw o'n plaid!" mae'n datgan, cyn hedfan bant fel
angel.

Mae Gatland a Shaun Edwards fel dau geiliog gorffwyll
a Taulupe a Ken Owens yn ddwfn mewn gêm o wyddbwyll.

Daw'r Ffrancwr o ddyfarnwr i'w galw i'r cae drwy'r
twnel
A daw dechrau yr ail hanner, pan chwytha ar chwiban
Nigel...

*Aneirin Karadog*

# Arwyr 2016

Mae Aaron Ramsey'n arwr
a hefyd Gareth Bale,
a'r boi yn rhes M, sêt tri deg
sy'n gweiddi 'Cym on Wêls'.
Rhaid cofio barf Joe Ledley,
a'r hogiau ar y fainc:
pob un yn arwr yn ei ffordd –
POB UN YN MYND I FFRAINC!

*Geraint Løvgreen*

# CHWARAEON

Mae'n gas gen i chwaraeon
Dwi'n berson diog iawn.
Mae'n well gen i fy soffa
Drwy'r bore a'r prynhawn.

Does gen i'm awydd neidio
Na chwysu chwaith deud gwir.
Dwi ddim yn licio rhedeg
Na nofio am rhy hir.

Be *ydi* pwynt pêl fasged?
A golff a hoci iâ?
A gorfod chwarae rownderi
Bob dydd o'r gwyliau ha'?

A pheidiwch sôn am rygbi
A'r holl rowlio yn y baw.
Sa'n well gen i gorila
Yn swsian cefn fy llaw.

O rhaid, rhaid imi newid,
Mae'n bwysig bod yn iach
Ond os bydd rhaid ymarfer:
Wel, chydig yn ara' bach.

*Mari Lovgreen*

# DENNIS A DYGBI A DOLFF

Mae 'na dri dyn bach digri yn byw yn stryd ni:
Dennis a Dygbi a Dolff.
Mae rhywbeth reit wirion am bob un o'r tri,
sef Dennis a Dygbi a Dolff.
Mae Dennis bob amser yn daclus mewn gwyn,
a Dygbi yn fudur fel rhywbeth o'r bin,
a Dolff eith am dro efo llond bag o ffyn.
Dyna Dennis a Dygbi a Dolff.

Bob bore dydd Sadwrn yn brydlon am naw,
bydd Dennis a Dygbi a Dolff
yn neidio i'r car efo bag ym mhob llaw:
Dennis a Dygbi a Dolff.
Un i'w Ganolfan* tu allan i'r dre,
un i ddal bws efo'r hogiau i'r de,
a'r llall efo'i fag ffyn i 'dwn i ddim ble:
Dennis a Dygbi a Dolff.

---

* 'Canolfan Dennis' yng Nghaernarfon

Erbyn hyn, wyddoch chi be 'di hobis y tri,
(Dennis a Dygbi a Dolff)?
Chwaraeon, siŵr iawn! (yn wahanol i fi)
i Dennis a Dygbi a Dolff.
Mae'r tri wrth eu boddau yn cadw yn iach
wrth chwarae 'fo peli, rhai mawr a rhai bach,
ond un diog ydw i, ac mae'n ormod o strach
dilyn Dennis
a Dygbi
a Dolff.


*Geraint Løvgreen*

# CHWARAE

Creadur reit ryfedd oedd Mabli,
Yn hoff iawn o chwarae efo jeli.
Ei ysgwyd a'i daflu
A'i lyfu a'i lyncu,
Roedd Mabli yn eneth reit wobli.


*Mari Lovgreen*

# Cam ymlaen, cam yn ôl, cam ymlaen

*(Chwarae 'Ysgolion a Nadroedd')*

Ysgwyd ac ysgwyd,
sŵn Mrs Tomos yn ploncio'r piano,
chwarae efo'r glicied
ac agor y drws i mewn i'r gêm.

Symud yn ofalus fel teigar,
cyfri'r sgwariau fel boi banc yn cyfri pres.

Cael fy nghodi'n sydyn,
trwnc eliffant i'r awyr –
esgyn i lwyfan Eisteddfod Gylch!

Cam gwag, cam yn ôl;
siom fel methu bỳs y trip,
ar ganol adrodd – anghofio'r geiriau.

Taro'n ôl yn benderfynol.
Dringo'n ofalus nes cyrraedd y cant.
Hwrê fel diwrnod olaf yr ysgol!

*Adran yr Urdd, Llithfaen*

# Hela
## Am yr Hedyn

(*Chwarae 'Tipit'*)

Tri mochyn bach
yn erbyn y bleiddiaid.

Yr Wyddfa yn eistedd yn y canol,
gyda'r bryniau llai o boptu.

Dewis hedyn ŷd o'r sach
i greu cyfrinach mewn crochan.

Power cỳt i'r tim arall;
chwe coryn yn y tywyllwch
yn ymladd am y gleren.

Lan a glanio ar y bwrdd
fel chwe llong ofod.

Athrawon yn chwilio am y gwir
yn llygaid y cadnoid.

Gweld drwy'r celwyddau
a gyrru dyrnau i'r carchar,

ond y moch bach yn ddiogel.

Y pren yn dringo un twll arall
i fyny'r ysgol.


*Ysgol Gynradd Llanpumsaint*
*yng nghwmni Myrddin ap Dafydd*

# Cymryd rhan sy'n bwysig

"Go dda!" medd Mrs Williams
"Mi wnest dy orau glas.
Sdim ots os wnes ti faglu
a pheidio â gorffen y ras."

"Nid ennill sydd yn bwysig
Ond cymryd rhan â gwên,
Os yw dy dîm yn colli
Rhaid ysgwyd llaw yn glên."

"Sdim ots wrth chwarae criced
Os mai ti oedd yr unig un
I fethu'r bêl bob cyfle,
A llwyddo i daro dy hun."

"Cymeraist ran yn hwyliog,
A dyna ydi'r nod,
Nid ceisio curo'r gweddill
A chwilio am sylw a chlod."

"Gofynnais wrth Mrs Williams,
(Sy'n gwybod pob peth yn y byd),
"Os mai cymryd rhan sy'n bwysig
Pam cadw sgôr o hyd?"

*Meirion MacIntyre Huws*

# Llyfrau Lliwgar yn llawn Cerddi

£5.99 yr un
www.carreg-gwalch.com

£5.99 yr un
www.carreg-gwalch.com

Rhif Llyfr Safonol Rhyngwladol:
978-1-84527-579-2


Cyhoeddwyd gyda chymorth Cyngor Llyfrau Cymru
a chydweithrediad Bardd Plant Cymru


Dylunio: Eleri Owen
Llun clawr: Emyr Young




Cyhoeddwyd gan Wasg Carreg Gwalch,
12 Iard yr Orsaf, Llanrwst, Dyffryn Conwy, Cymru LL26 0EH.
Ffôn: 01492 642031
e-bost: llyfrau@carreg-gwalch.com
lle ar y we: www.carreg-gwalch.com

Argraffwyd a chyhoeddwyd yng Nghymru